D1202764

Nous sommes ce continent

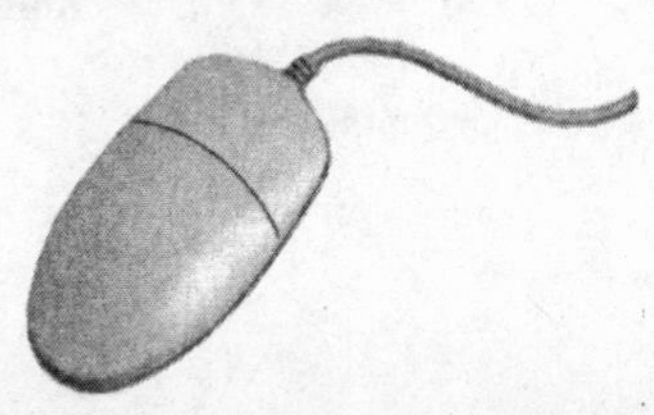

Du même auteur
Chez d'autres éditeurs

à tout hasard, recueil de poèmes, manifeste, avec Carl Lacharité et la participation de l'artiste Alain Fleurent, éditions d'art Le Sabord, coll. excentriq, 2000.

cage verte, poésie, avec des œuvres de l'auteur, éditions Cobalt, coll. explosante / fixe, numéro 5, 2001.

l'amour usinaire, poésie, Écrits des Forges, 2002. Finaliste au Prix de littérature Gérald-Godin et au Prix Félix-Leclerc 2003.

voyage dans chacune des Cellules, poésie, éditions Trois-Pistoles, 2003. Finaliste au Prix de littérature Gérald-Godin 2004.

à minuit. changez la date, poésie, Écrits des Forges, 2004. Prix de littérature Gérald-Godin 2005.

la pléiade des nombres épidémiques, poésie, éditions Trois-Pistoles, 2005.

le mobile du temps, poésie, Éditions Trois-Pistoles, 2006. Finaliste au Prix de littérature Clément-Morin 2007.

locoleitmotive, poésie, avec Michel Châteauneuf et Frédérick Durand, Éditions d'art Le Sabord, coll. recto verso, 2007.

rixe et paranormal, poésie, éditions Trois-Pistoles, 2008.

le vent tout autour, poésie pour ados, Éditions de la Bagnole, 2008. Finaliste au Prix de littérature Clément-Morin 2008 et au Grand Prix Quebecor du Festival International de la Poésie 2008.

Mais moi je dormais, roman, éditions Trois-Pistoles, 2009.

Mémoires analogues, poésie, éditions Trois-Pistoles, 2010. Prix de poésie Rina-Lasnier 2011.

Mistral : La princesse des mites (Tome 1), roman jeunesse, éditions Z'ailées, 2010.

Mistral : Au pays des mouches (Tome 2), roman jeunesse, éditions Z'ailées, 2010.

Mistral : Le monstre du lac Sandy (Tome 3), roman jeunesse, éditions Z'ailées, 2011.

Ajouts actuels aux révélations, poésie, éditions Trois-Pistoles, 2011.

Pierre Labrie

Nous sommes ce continent

case postale 36563 — 598, rue Victoria
Saint-Lambert (Québec) J4P 3S8

Soulières éditeur remercie le Conseil des Arts du Canada et la SODEC de l'aide accordée à son programme de publication et reconnaît l'aide financière du gouvernement du Canada par l'entremise du Programme d'Aide au Développement de l'Industrie de l'Édition (PADIÉ) pour ses activités d'édition. Soulières éditeur bénéficie également du Programme de crédit d'impôt pour l'édition de livres – Gestion Sodec – du gouvernement du Québec.

Bibliothèque nationale du Canada
Bibliothèque et Archives nationales du Québec

Données de catalogage avant publication de Bibliothèque et Archives Canada

Labrie, Pierre

Nous sommes ce continent

(Collection Graffiti ; 74)
Poèmes.
Pour les jeunes de 13 ans et plus.

ISBN 978-2-89607-152-4

I. Titre. II. Collection: Collection Graffiti ; 74.

PS8573.A272N68 2012 jC841'.6 C2011-942434-7
PS9573.A272N68 2012

Illustration de la couverture :
Suana Verelst

Conception graphique de la couverture :
Annie Pencrec'h

ISBN 978-2-89607-152-4

Je t'aime comme on vient au monde

PAUL ÉLUARD

Dans les entrailles des derniers jours avec elle, j'avais entrepris l'écriture d'un journal. Un journal de bord, pour tenter de me recentrer en naviguant avec les calculs, du moins ceux possibles. Tenter de mieux me comprendre. Je l'ai tenu tout le mois de septembre. Même après elle.

J1

[19h39] Je commence ce nouveau journal, mon amour, ce premier jour de septembre, parce que tu m'as demandé d'apprendre à mieux me connaître. Mieux me connaître, moi. Demandé d'arrêter d'éparpiller mes idées. De m'éparpiller. Tu connais l'importance, pour moi, d'écrire. De me mettre au cœur de mon écriture, comme si j'y vivais pleinement, à défaut d'être ici avec toi. J'ai aimé ta proposition et je suis là. Dans ces premières lignes, je me lance sans filet. Je dis sans filet, parce qu'ici, je sors de l'image. Ici, je fais beaucoup plus que simplement écrire. Ici, c'est moi.

J'ai pris deux heures à fabriquer ce poème :

« il y a dans cette beauté du corps
que tu me proposes
quelque chose comme la vie
celle que j'attends impatiemment
depuis l'enfance
il y a dans cette beauté du cœur
que tu me proposes
quelque chose comme l'amour
celui que j'attends impatiemment
depuis mon arrivée dans l'adolescence
il y a dans cette beauté de l'esprit
que tu me proposes
quelque chose comme le dépassement

celui que j'attends impatiemment
depuis trop longtemps
je sais que j'y suis mon amour
là où les choses changent en ma faveur
à cet endroit précis où je peux
dire je t'aime les yeux ouverts »

[22h22] Je cherchais un pourquoi à mon humeur générale. J'ai trouvé. Le retour en classe est difficile cette année et je me demande où prendre mes forces.

J2

[17h17] Arriver à dire tout. Dire tout, sans tourner de l'œil, sans trop se grafigner.

« Je veux être pour toujours
cette chose qui t'émerveille
sans jamais flancher
ni manquer à ma tâche
celle de t'aimer »

Je sais que dire ça, ça veut tout dire et qu'il ne reste plus trop de place après, pour le reste et tout ça. Ne jamais vouloir que tout en vienne à ne rien dire. Ne pas rêver de personne. Ne pas rêver de rien. Ne pas rêver.

Personne n'a le goût de ne plus avoir de rêves. Moi, je les veux, ces rêves. Les miens et ceux que nous avons ensemble. Ces rêves d'avenir. Et ce rêve de partir ensemble dans les mêmes lieux, au loin. Ce rêve qui m'anime.

Je rêve. Je rêve de devenir. Je cherche à construire une conception neuve de ce que je suis. Je ne veux pas la fuite ni la révolte. Je veux mes pas et je veux nos pas, mon amour. Mais j'ai la tête pleine de fantasmes qui torturent mes rêves autant que mon écriture. Et j'ai peur. La peur de perdre. Elle est là, continuellement. Elle ne me quitte plus maintenant.

J3

[16h52] Mon amour, je t'ai acheté des fleurs en revenant de l'école. Je n'ai rien à me faire pardonner. Je l'ai fait pour la beauté du geste. Pour les sourires qui vont avec. Le fleuriste m'a dit à la blague « Tu as de quoi à te faire pardonner ou bien tu es un grand romantique pour vrai ? » Je n'ai vraiment rien à me faire pardonner. J'ai seulement acheté des fleurs.

Et sur la carte je laisse ceci :
« c'est dans ta présence
que ce calme est possible
c'est dans ton arrivée
que j'ai vu enfin le jour
c'est dans notre amour en place
que je vois la suite »

[20h20] Parce que j'avais posé des questions pendant le souper, mon père m'avait expliqué le vrai sens du mot romantique.
« C'est affirmer notre sensibilité, c'est voir que l'on est unique… toujours se refusant aux mensonges de la société… le romantique célèbre le sentiment et ne le cache pas, qu'il soit laid ou non, autant dans les désordres que les vertiges… il reconnaît la passion et la douleur, car il est lucide, il revendique la part d'irrationnel qui vit dans chaque homme, il reconnaît l'in-

dividu en premier avant la société, conscient de sa valeur et de sa différence avec les autres. »

J'ai pris des notes, car il me résumait la définition du dictionnaire. Je l'ai réécrite comme je l'ai comprise.

Il a dit : « Cela n'a rien à voir avec les boîtes de chocolat en forme de cœur et les petites phrases dans les cartes de souhaits ».

Et il a dit : « Tu sais, le romantique est plutôt une personne en marge du monde qui l'entoure, parce qu'il observe, et passe souvent pour un rebelle… T'es un beau rebelle, mon fils… »

Il m'a remis, en cachette, comme s'il était gêné, un livre de Paul Éluard et m'a dit de le lire, que je comprendrais et que c'était pour lui le plus beau livre romantique. Je suis un peu traumatisé, parce que je ne savais pas que mon père avait déjà lu de la poésie.

[21h36] Je voulais te voir, te donner les fleurs. Je n'ai pas réussi à te joindre, même sur ton cellulaire.

Je vais me coucher. Je te les donnerai demain midi.

J4

[6h58] Nous sommes ce continent immense, en dedans de moi, tout au fond, sur lequel marche mon cœur d'un pas ferme aujourd'hui.

[12h05] Tu étais gênée que je te donne mes fleurs. Tu as dit que tu ne le méritais pas. Je n'ai pas trop compris. Je peux juste dire que, moi, je ne les aurais pas méritées.

[20h30] Bon, okay, je suis un romantique et je l'accepte.
Avec la jase que j'ai eue avec mon père et les quelques poèmes d'Éluard que j'ai lus, je sais que je suis.
Je n'ai pas honte d'être un romantique, au contraire, j'aime et je veux changer le monde, affronter le vent tout autour.
J'y ai pensé toute la journée, ça me hantait très fort.
« je veux être ce héros romantique
de tous les livres
choisir moi-même de combattre
les choses injustes et corrompues
en aimant avec toutes mes forces
je n'ai pas le goût de rester fixé au sol
et regarder le monde passer
je veux en être
de ce monde

je veux aussi être ton héros
mon amour »

J5

[15h59] Aujourd'hui, je suis un stéréotype vivant... C'est ce que j'ai appris. D'après le prof de maths, les jeunes sont tous pareils. Des paresseux qui ne voient pas plus loin que leurs bras. Je ne sais pas, mais j'ai regardé autour de moi pendant son discours défaitiste sur la jeunesse et je ne voyais que des personnes différentes. Même très différentes. Rien à voir avec les 2 gothiques ni avec les 5 sportifs ni avec l'ultra timide de la première rangée. À la limite je ne changerais pas ma place avec aucun des élèves de la classe. Je n'aurais pas le goût de leur ressembler.

[19h05] Selon ma mère et mon père, le prof n'aurait jamais dû dire ça. Il y a au moins deux adultes qui pensent le contraire.
Je suis chanceux de les avoir.
Et je pense à toi, mon amour, et à ton père qui pense parfois comme le prof de maths.
Sauf quand je n'ai pas trop le goût de faire mes devoirs et les corvées, je ne me trouve pas si paresseux.

« je ne veux pas me résoudre
à la médiocrité d'un monde aveugle
parce que je regarde
devant

même si je parais
avoir la tête baissée »

J6

[18h18] Aujourd'hui j'ai mal, mon amour. Je ne me comprends plus. Je ne sais plus. J'ai une phrase qui me hante et je n'ai envie que d'une seule chose… « fuir l'image d'un démon tangible sans perdre de vue la route à suivre ».

Je n'ai plus faim. Je n'ai pas le goût de faire mes devoirs ni mes corvées à la maison. Aujourd'hui, il n'y a que toi d'important et je suis seul ce soir. Toi, je sais que tu es l'amoureuse modèle et que je devrais prendre exemple sur toi. Tu me le dis souvent qu'il faut absolument que nous soyons forts tous les deux et que nos rêves passent par nos forces.

Je ne baisse pas les bras, mais j'ai mal. Et je n'ai envie que d'une seule chose… « fuir l'image d'un démon tangible sans perdre de vue la route à suivre ».

Cette phrase me reste collée à la peau. Et pourtant, dans les entrailles de mon cœur, je n'ai envie que d'une seule chose. Être avec toi tout le temps. Tu es mon seul pays vrai aujourd'hui. Pourtant. Je sais.

Je n'ai jamais été aussi beau qu'avec toi, je le sais.

J7

[19h12] « le bruit est synonyme de vie dans ma maison
dans mon cœur aussi
quand la corde vibre
le volume au max

mais quand mon cœur n'y est plus
les murs se mettent à pourrir
du bas vers le haut
et là je tremble
des pieds à la tête

mais aussitôt qu'un cliquetis
vient s'immiscer au calme de mon ennui
mon regard rejoint la porte de mon corps
j'ai les pieds qui s'arrachent du plancher

je me mets soudain à vivre intensément
les tremblements enfin me quittent
et ton rire fait vibrer les murs
le volume au max »

À me relire, je me demande toujours s'il est normal d'arriver à être aussi kitch lorsqu'on écrit pour sa blonde, pour soi-même. Peut-être la peur du rendu public.
Je le dis ici, si jamais quelqu'un publie ne serait-ce qu'une ligne de ce journal après ma mort,

je reviens lui botter le cul, c'est sûr.
Puis, peut-être que, rendu à un certain âge, on assume. Je ne sais pas.

[21h36] Je me couche épuisé et j'ai un examen demain et je n'ai pas assez étudié.

J8

[18h15] Mon amour, aujourd'hui, tout juste là, à la seconde près, je suis différent. Parce que vraiment moi à la fois. Différent de ce que tu as vu dans l'heure précédente. Celle que tu as crainte avec tous les muscles de ton corps. Avec toutes les images de nos anciennes vies ailleurs et ici en même temps. Comme si, justement, ce temps était modelable. Que nous pouvions en faire ce que nous en voulions. Ramener tout en même temps devant nous. Par peur et par curiosité. Mieux apprendre nous deux en même temps. Anticiper les erreurs et « fuir l'image d'un démon tangible sans perdre de vue la route à suivre ».

Aujourd'hui, tout juste là, à la seconde près. Je suis différent parce que j'ai décidé des choses qui, au lieu de me défaire au sol, me relancent sur la ligne. Avec tout ce que ça veut dire. Notre monde se construit là. Nous le savons. C'est notre monde.

[19h03] « tu sais qu'un jour de tristesse
j'ai conclu un pacte avec la terre
un pacte si solide
que jamais mes racines ne se détacheront
j'ai conclu ce pacte sans trop savoir
aujourd'hui je sais

nulle vie ne doit s'enraciner de cette façon
dans tes heures qui me bercent je reconnais
cette impuissance que j'ai à me départir d'hier
peut-être la peur de me voir
le cœur étalé me retient
tu sais que j'ai peur de perdre
et que dans cette métamorphose inévitable
je deviens cet objet qui s'effrite
cet objet déchiré par le vent tout autour
cette chose fragile que je déteste
parce que la faiblesse me répugne
lorsqu'elle me colle à la nuque »

[22h01] Je me couche avec toi, même si tu es loin.

J9

[16h28] Tu sais, mon amour, que dans cette colère que je n'ai pas devrait se cacher quelque chose comme l'enfer et ses failles. Mais je ne ressens aucune violence. Tu le sais que je suis toujours calme, même quand on m'écorche.

Il y a des gens qui scrapent nos jours avec le sourire.

On m'a brisé devant la classe. Ce matin, j'avais les genoux qui claquaient plus vite que les idées dans ma tête. Et on m'a brisé.

[19h02]
Aujourd'hui j'ai honte des autres. Honte de voir ce qu'ils sont et ce qu'ils font. Honte de tout ce qui arrive pas trop loin. Ma mère dit que je prends conscience du monde actuel. Moi, j'ai seulement honte et je déteste ce que je vois et entends.

[20h14] J'ai encore parlé avec ma mère. C'est plutôt elle qui m'a accroché dans la cuisine parce qu'elle voyait que j'étais en compote. Elle m'a expliqué que des gens qui scrapent gratuitement, il y en a partout. Qu'on ne doit pas leur donner de l'importance. Que ça nous rend malheureux pour absolument rien. Et qu'ils

agissent souvent comme ça parce qu'ils sont eux-mêmes malheureux. Qu'il faut surtout voir qu'il y a aussi de bonnes personnes autour de nous.

Okay, mais ça fait mal quand même, de se faire rentrer dedans pour rien.

[21h01] J'ai fait une liste, juste pour voir, et je n'ai pas le choix de dire qu'elle a raison.

J10

[11h12] Un ami s'est suicidé hier soir. Tout le monde en parle depuis ce matin. C'est la deuxième fois que je perds un ami de cette façon. Et ce n'est pas quelque chose qu'on apprend à comprendre.

[19h02] J'ai lu un texte dans le journal qui parlait de lui et ça m'attriste de voir qu'on échappe la Terre autant.

Après le souper, je suis monté griffonner et tout ce que j'ai réussi à écrire, c'est ceci :

« l'imparfait quitte le monde
devenu une fin par la soif
la soif de devenir pour demain et sa suite
s'arrache ici une part de l'univers

s'achemine devant
la lueur cassée d'une ombre condensée
par les interminables lignées
des arbres noirs
allongés le long de leur trait
il s'agit d'un long tunnel à ciel nu

et devant le bec de ciment
qui picore les pas d'un passant couvert
par la fuite

ce passant qu'on voudrait réveiller
lui tirer les mains des eaux
parce qu'il se fossilise déjà

sans larmes il s'effondre
sous l'audition forcée des craquements
du bris de ses os
il n'a plus la force

les nuages noirs lui cassent la voix
lui brisent ses yeux de moitié
il n'arrive plus à voir ni à comprendre

c'est ici qu'il quitte l'aventure »

Je n'y comprends rien. Il me semble que, pour nous deux, mon amour, la Terre est beaucoup plus belle.

J11

[22h33] Mon meilleur ami ne t'aime pas, mon amour. Il dit que tu profites de moi et de mes faiblesses. Que tu ne mérites pas le grand amour que j'ai pour toi. Ça m'a démoli. J'aurais voulu lui dire que je ne voulais plus le revoir. Mais la nouvelle d'hier remet les choses en perspective. Je lui en reparlerai une autre fois.

« masque d'ossements repêché des glaces oubliées sous les continents

il a survécu souvent au dégel de mes océans

les vagues et les vents internes l'ont souvent défait
pourtant il reste

tout juste
qu'il souffre un peu
sous la canicule
vite refroidi de quête de l'identité

je suis toujours là»

Je n'ai rien d'autre à dire aujourd'hui, mon amour.

J12

[7h52] Je me souviens clairement du rêve que j'ai fait.

[16h11] Mon amour, j'ai à travers moi la décision de continuer de la même façon. À placer la suite, je me demande pourquoi j'ai comme vision cette fenêtre que je ne connais pas. Je me demande pourquoi je la regarde. Je me demande pourquoi mes yeux cherchent désespérément à passer à travers. C'est comme si les carreaux devenaient mes yeux. C'est comme s'ils ne faisaient qu'un tout. C'est comme si les images qu'ils voyaient, eux, s'animaient à travers cette transparence. Je crois reconnaître les objets dans ce vide. Je crois que ce sont les miens. Je crois que ça me ressemble comme lieu. Tout ça. En *repeat*. Même chose chaque fois. Finalement. Plus rien. Que la noirceur. Alors, je comprends que c'était la fenêtre de ma vie. Mais c'est dans un rêve tout ça. Parce qu'en vrai. Je ne comprends rien.

J'ai passé la journée à y penser. Je ne trouve pas d'explication.

C'est peut-être un signe. Le clair et le sombre sont la même chose si la tête est trop basse.

Demain, c'est demain. Et j'aurai la tête haute. Puis, si je ne comprends toujours pas, je passerai à autre chose, question de ne pas reculer.

Demain, c'est aussi les adieux et les funérailles.

J13

[9h50] Je n'ai pas refait le rêve de la fenêtre. J'en ai fait un autre, un long métrage. Un dont j'arrive à me souvenir parfaitement, dans les détails.

[18h19] Je reviens des funérailles. Moment difficile. Rien à dire de plus.

[22h10] « Tout en restant éveillé, je nage dans mon jour d'apocalypse ». Cette phrase me hante. J'ai vu ce film fictif où tout le monde meurt. Même le héros. J'ai pensé deux heures à ce rêve. Sans cesse. Il est gravé à jamais, je pense. Il me parle maintenant. Et pour décrire ce que je vois et entends lorsque je ferme les yeux, j'ai écrit ceci :

« tout en restant éveillé
je nage dans mon jour d'apocalypse
à voir la vie qui se fout en l'air
les peines les misères les injustices
les yeux fermés
je vois des étoiles trop d'étoiles
et ensuite un brouillard me les cache
brouillard d'où resurgissent des visages
me regardant avec stupeur avec terreur
avec tristesse aussi
comme une image foudroyante

de moi devant eux
noirceur traversée par un gris foncé
un vide qui m'attire et m'aspire
j'apparais dans un lieu inconnu
illusion difforme de gens dansant autour
d'un feu couleur d'océan
une eau qui transperce le ciel
dans son opposition
par ses flammes
je me retourne
des yeux tout au fond
me regardent et s'éloignent
me laissant seul sans horizon sans vue
la noirceur encore
plus opaque que jamais
une porte s'ouvre je l'entends
j'ai une fixation dans l'espace
où se déroule sous mes yeux fermés
une histoire que je ne comprends pas
parce qu'il manque les images
le tout se termine quand une personne
s'approchant de mon âme
éteint cet écran imaginaire
qui s'ouvre chaque fois
que mes yeux se ferment
ma tête laissant souvent la folie
s'approcher de mes rêves
tout en restant éveillé »

Je reconnais que le monde n'est pas toujours beau, mon amour. Mais il y a toi qui surpasses toute la beauté du monde. Et ceux qui m'entourent au quotidien ne sont pas laids non plus.

[01h10] Mon père vient de me surprendre, je me couche.

J14

[11h11] Il fallait s'y attendre, mon père m'a demandé ce que je faisais hier soir si tard. Il faut dire que, depuis les funérailles, les parents s'inquiètent de chacun de mes mouvements. Je lui ai dit la vérité et il m'a demandé s'il pouvait lire et j'ai dit oui, mais seulement le poème. On a ensuite parlé du rêve. On a aussi parlé des funérailles.

[20h56]
« L'impasse

de pas en pas et de bas en haut
je titube je trébuche dans mes mots
le cœur accélère
je suis seul
comme engouffré
sans raison je n'aurais su
me cramponner au récif
je crois
je pense trop
un jour m'arrachera peut-être
de la réalité de mes fantasmes
je serais alors harponné
de tous bords tous côtés
la folie et l'hystérie me guetteraient
avec les yeux fixes
mais un visage sort de l'arbre vert

que je suis
maintenant
c'est lui qui me ronge par en dedans
je le jure
ça me rassure de le dire
je ne sais pas pourquoi
mais ça me rassure
à le voir ce visage
il n'est pas tout à lui
il n'est pas tout à moi non plus
il appartient peut-être à son propre univers
absence soudaine de lucidité
je suis transparent
et je me retrouve là opaque
tout juste là
flottant à même l'espace
dépourvu de respiration
noyé
jusqu'à l'eau qui veut à tout prix
la peau des continents
plongé dans la source de l'imagination
sans manuel d'instructions
je sais je glisse au pays des rêves
de l'Eldorado je glisse
je rencontre les plumes du sommeil
vient ensuite l'oreiller
étouffé
les alignements de mots se désaxent
je me vide de toute mon encre
je me mets à sec

et puis l'anxiété
je me sens tout perdre
en même temps
mon corps fond
mes yeux giclent la fatigue
de retour sur le plancher des hommes
une partie de moi disséquée
encore suspendue aux nuages
l'estomac à l'envers
je me couche
je me borde
dormira celui qui s'éveillera
lorsque le train passera
Je est un autre»

Il n'est pas moi. Il est sombre.

[21h42] J'ai retranscrit ce vieux texte écrit l'an dernier pour l'atelier d'écriture que j'avais suivi. On nous avait demandé de réfléchir sur le suicide, sur la solitude. Je m'en suis souvenu ce matin. Puis, pas question de me faire reprendre par mon père ce soir, alors je me couche. Pas question que je me mette à lui faire lire mon journal tous les jours.

J15

[5h45] Je me lève et je me demande qui je suis. Je ne reconnais pas ce miroir devant moi. Je ne sais plus. Je ne sais plus si je t'aime. Je ne sais plus si j'aime tout court. Je sais seulement que ta présence est essentielle.

chacun notre tour on a cassé si souvent
depuis l'été
que je ne sais plus
et hier quand tu m'as dit
mon amour
que tu pensais peut-être finalement
ne plus aller dans les mêmes lieux que moi
à cause de ton chemin à suivre
j'ai douté de l'avenir
pas du mien ni du tien
mais du nôtre

Nous sommes les compagnons sur ma route et sur la tienne. Des champs ouverts où nous pouvons regarder au loin. De tous les côtés.

[22h22] Je marche seul à mes côtés. J'ai appris à aimer. T'aimer toi. Mais moi aussi.
Malgré le vent tout autour.

[22h52] Nous sommes ce continent qui espère, mon amour.
Et moi, je dois dormir.

J16

[17h10] « Refaire nos mémoires avant l'aube ». Je veux me souvenir d'hier soir. L'un sur l'autre dans le salon. Le film muet derrière nous. Un film de neige et de blancheur.

Sur le divan. Accrochés l'un à l'autre. Laissant la neige tomber dans l'écran, sans soucis, parce que nous sommes la fonte.

[21h21]
« et comment
que les images dans tes yeux te vont bien
les mots se tassent pour te faire place
maintenant que tu y es
laisse la neige tomber
laisse le blanc de ta page de laine
le tricot serré de tes jours vécus
viendra fondre la glace subitement installée
tous verront ta force
celle qui a sauvé nos heures
nos heures passées
accrochés
comme des amoureux nourris de regards
de sourires
et de soleils levés l'un contre l'autre »

Des moments d'intimité, nous en avons de moins en moins. Hier, nous l'avons fait et tu es partie rapidement, sans rien dire.

Est-ce qu'il y a des frontières percées plus grandes que moi ? Nous ne sommes pas à l'étroit ici. Pourtant, j'ai l'impression que le temps me passe à travers. Et que j'en manque des bouts.

J17

[16h02] Je n'ai pas l'intention de prévoir les catastrophes. Je n'ai pas l'intention de me lever en classe et partir. Je n'ai pas l'intention de décider des horreurs. Je n'ai pas l'intention de te dire de quitter les lieux. Je n'ai pas l'intention de défaire les étoiles filantes. Les nôtres.

Je n'ai pas l'intention de prévoir les catastrophes que pourrait occasionner mon départ. Je t'aime trop. J'aime trop l'instant et ses mouvements qui mènent à demain. Mais je pleure et mon corps se resserre.

J18

[7h02] Mon amour, j'ai l'impression de devenir ce cauchemar. Je tombe longtemps. Une pression sur la nuque et au centre du thorax, les bras engourdis. Je tombe toujours à la même heure, toujours, et je suis tanné de tomber.

[21h47] Ce soir, le sommeil me rappelle que je tomberai encore et encore.

J19
[12h17] Mes rêves s'envolent, mon amour, ceux du jour. Je les vois partir et devenir petits, ceux de la nuit restent, car je suis encore tombé aux petites heures.

[19h28] Et cette phrase que j'ai dans la tête depuis le midi : « je cherche l'équilibre qui n'excuse pas, mais qui explique le goût du désert ».

Ça fait 3 jours que j'ai l'impression que tu me fuis, mon amour.

J20

[13h13] J'ai besoin de te voir. Pour discuter. Parler de ce silence prolongé. Ce silence à la mémoire de je ne sais quoi, comme une petite mort qui m'entoure.

[17h55] J'arrive à voir, au bout de mon bras, les objets que je tiens. Ils ont fait surface dans ma paume. Si tu veux, je te lègue tout. Tu en fais ce que tu veux, mais nous repartons, comme des choses neuves, nous faire des souvenirs. Dis-moi que nous repartons ? Dis-moi que nous en avons la force ?

[20h20] Je n'ai pas réussi à te dire quoi que ce soit. Je n'y suis pas arrivé. Même si on a parlé deux heures pile au téléphone. Ici, l'espace est trop grand sans toi. J'ai écouté pendant une minute la tonalité avant de raccrocher.

J21

[11h11]
« une teinte de pluie sur la nuque
l'envol de l'oiseau triste

un faux geste sur la pelouse mouillée
une négligence dans sa voix
marquent une fin

mais le portique du parc s'ouvre seul
les nuits où elle pleure

il n'oubliera jamais de la rappeler
en sa main ouverte
qui jamais ne la tiendra en cage »

[12h12] Je sais qu'on ne peut retenir une personne, même si ça fait mal.

J22

[18h18]

« Mes yeux plissent. Mon regard, d'un mur à l'autre, le carré parfait. L'évidence des heures se manifeste. Comme une fête de l'ennui.

Le corps vivant d'un autre respire, (devant) chaque mur, le parfum de la saison précise que tu es ma blonde. »

J'avais écrit ce poème, mon amour, quand nous avions cassé la dernière fois et que ton voisin ne te lâchait pas d'une semelle.
Tu ne me regardais plus dans la rue. J'avais cette blessure à la poitrine qui s'infectait à chaque fois que je vous voyais.

J'ai peur, parce que tu as recommencé à ne plus me regarder. Ça m'écorche. Mais comme je me trompe peut-être, je me penche vers mon aile la moins usée. Au lieu de penser à ne plus bouger, je volerai peut-être en rond, mais je volerai. Ce geste, je sais qu'il va me réconcilier avec moi-même. Je ne veux pas suivre la facilité et ses tentations. Je veux tout. Le plus gros possible. Je veux être capable d'en prendre, foncer et défaire les illusions des tortures.

J23

[16h16] J'ai lu aujourd'hui : « pourtant les pissenlits le savent, eux, que l'on peut mourir d'amour ».

« Toi et moi, mon amour, le ciel, la terre et tout ce qu'il y a de tactile, savons qu'il est possible de vivre d'amour, qu'il est possible que. »

[17h17] Tu me demandes de te rejoindre chez toi, mon amour, je laisse ce journal pour le continuer autrement plus tard. Je reconnais ce qu'il y a dans ta voix.

[20h20] Je dis peut-être « mon amour » pour la dernière fois en parlant de toi. Je le dis et j'ai toutes ces images en tête. Notre bonheur à deux. Les moments beaux. Ceux que personne ne peut renier. Il n'y a pas que nos yeux qui en furent témoins. Il serait facile de penser que le vent tout autour est venu à bout de notre amour, mais c'est nous deux qui en sommes venus à bout cette fois. Ce que tu es. Ce que je suis. Nous deux séparément. Nous avons mis un terme à l'artifice parce qu'en dernier ce n'était presque seulement que ça, un combat maquillé en beauté. Tu m'aimais, tu l'as dit, tu m'aimes encore. Je t'aime aussi. Mais ce n'est pas assez. Il y a des choses de ce que nous som-

mes, l'un et l'autre, qui nous éloignent, lorsque les bras n'y sont pas.

Nous sommes devenus des amis. Nous sommes entrés dans l'amour à une si grande vitesse que nous avons dû courir ensuite pour nous rattraper. Nous avons tout su l'un de l'autre, tout vu l'un de l'autre. Nous connaissons nos mots, nos rires, nos folies, nos rêves, nos corps. Mais nous savons maintenant que certaines choses ne nous enlacent plus. La flamme s'est éteinte. Les papillons sont bien morts, mais pas nous. Nous irons sûrement dans des directions différentes, rencontrerons des personnes différentes.

Tu m'as dit : « Faisons-le, là, tout de suite, pendant qu'il en est encore temps et que nous nous gardions intacts l'un pour l'autre ». J'ai dit « oui », j'ai dit que tu avais raison. J'avais l'impression que ce n'était ni toi ni moi qui parlait de tout ça. Y avoir pensé sur le coup, j'aurais peut-être dit : « ne me retiens surtout pas, par pitié, ça me ferait trop mal », mais ça n'aurait rien donné, elle ne me retenait pas.

J'étais figé par une peur que je ne connaissais pas. Je sais. Nous avons jasé et j'ai fini par parler. Et c'est là qu'elle a décidé que c'était la fin. Elle a crié tout ce qu'elle avait. Elle s'est excusée et a dit que c'était la douleur. Elle a baissé le ton, est redevenue calme. Elle a prononcé la phrase. J'ai dit « oui », j'ai dit que tu avais raison. Sans savoir.

Ensuite, je suis parti chez moi écrire ce texte en blessant l'encre avec mes larmes. Mon amour, je t'aime, je t'aime tellement. Je sais que les prochains jours seront durs, qu'ils voudront m'entraîner au fond de tout, là où ça fait terriblement mal de remonter. Je sais que ça sera la même chose pour toi.

Nous les avons vécus souvent depuis l'été, les cassures, les *breaks*, mais restait toujours l'espoir que.

Là, c'est fini pour de vrai. Nous l'avons décidé tous les deux. Tu as été la première à le dire. Je connaissais déjà ma réponse, on aurait dit que. Je l'ai quand même dit la voix tremblante, et mes jambes qui voulaient me quitter. Nous nous aimerons à jamais, différemment, mais à jamais, je le sais.

Voilà, à ma façon, ce que je peux me rappeler, ce que nous nous sommes dit et ce que je pense aussi de mon côté avec cette douleur à la poitrine comme si une bête invisible me rongeait.

Me reste à dormir et me lever autrement.

[22h22] Quand je suis arrivé en pleurant, ma mère m'a regardé et, dans ses yeux, j'ai vu qu'elle me laissait vivre mes jours et mes nuits, mais qu'elle était là, si jamais. Elle n'a rien dit. Même si j'entendais sa phrase habituelle : « prends du temps juste pour toi et voir clair ». Je suis monté écrire.

Je crois qu'elle a aussi compris que, malgré mes pleurs, j'allais surtout me libérer en écrivant dans mon journal. Elle ne m'a pas retenu. Elle m'a laissé monter avec un sourire.

Je change les draps. Ça sent encore toi.

J24

[6h37] J'ai dormi. À l'éveil, j'ai le corps qui se replace sous ma peau.

Aujourd'hui, je passerai la journée avec mes amis et je sais que ça me fera du bien, ça fait longtemps qu'il n'y a pas eu de nous, eux et moi. J'ai l'impression que ça fait une éternité. Que Nous, c'était essentiellement, elle et moi.

[21h01] On a flâné comme avant au centre-ville. Ma journée m'a fait penser aux poèmes que j'ai écrits la dernière fois que nous avons failli nous défaire. C'est peut-être un début de livre que je retravaille de temps en temps. Je les découpe et les colle ici comme une exposition :

bêtes atroces sur la ligne d'horizon

« dans l'attente nous y avions vu
quelque chose comme le continuum
quelque chose d'abstrait
nous supposions une route voilée
qui menait quelque part
ce quelque part d'ombres
au-dessus de nos têtes
avec ce que nous nous souvenions des jours
en plein soleil »

❁❁❁

« tu avais ces montagnes collées à tes œillères
j'avais les miennes
l'influence de notre démarche
vers ce point de lumière
subsistait dans nos ailleurs
là où peu importe les yeux ouverts ou fermés
notre monde se construit
et s'anéantit dans les paroles

ici, l'amour fait partie de ces bêtes atroces sur
la ligne d'horizon »

❁❁❁

« tu m'avais dit
lors de notre dernier voyage
que l'accalmie t'avait permis
de recentrer ce que nous sommes
que tu touchais le rivage de la main droite
que personne ne s'était noyé

tu sais, j'ai ressenti la même chose,
même si je n'ai pas parlé »

❁❁❁

« notre reflet au sol
de même que dans l'eau

n'a rien d'inquiétant
ce qui fait peur
c'est l'inconnu dans ses sommets
le vertige que nous traquons

te souviens-tu
du visage qu'avait la chute au loin
tu sais, mon amour, que j'ai gardé l'œil intact
pour la suite »

❋❋❋

« même si on nous a fait de l'ombre
placer des filtres pour camoufler
nos pas et leurs traces
ce que nous ramenons au soleil
avec l'expérience de nos jours ensemble
autant les embruns que la pluie qui martèle
rien de tout cela ne réussira
à nous désorienter
maintenant que nous savons pour nous deux »

❋❋❋

« maintenant que nous avons cerné cette image
territoire dévasté
que nous avions tous les deux
de placardé dans nos errances
à ne pas trop savoir quoi en faire
nous comprenons l'urgence

de se dire les choses
les conséquences seront bien celles
que nous installerons »

❋❋❋

« mon côté obscur
autant que le tien
ne peut se passer d'éclairage
de jour et de chaleur
peut-être devrions-nous nous retourner
quelques secondes et ensuite
décider
ensemble
de regarder à nouveau devant nous
voir ce qui nous attend
sans les marques d'une apocalypse connue
ou non
sans les marques d'une béatitude certaine
juste se faire un juste milieu
avec nous au centre »

❋❋❋

« nous deux au-delà des apparences
que nous projetons
nous sommes ce rayon qui transperce le temps
plus rapidement que nos corps
que simplement nous

nous deux au-delà des apparences
remerciant la pluie d'effacer certaines choses
que nous voulons enlever de nos muscles
avant de retourner en plein soleil »

❀❀❀

« nous voyons
le monde parfait de nos errances
où les alentours s'abandonnent
c'est sur un rivage désert
que nous nous sommes rencontrés
nous avons fait
ensuite
toutes les eaux voulues
maintenant
nous revenons
par la force des choses
à la source
comme si nous nous rencontrions
pour la première fois »

❀❀❀

« chacun nos terres dévastées
que nous avons refaites
dans nos mémoires par la suite
tranquillement
bâtir nos aubes
autant que les crépuscules

c'est dans le calme
que nous nous sommes inscrits
d'un seul nom
pour nous retenir facilement
voilà pourquoi nos terres se sont annexées »

❁❁❁

« tu m'avais dit connaître l'arrivée
tu m'avais dit l'avoir vue
distinctement dans un rêve
comme si tu y étais
tu dis reconnaître le reste comme fragmentaire
je persiste à tenter de savoir si j'y étais
sur le rivage
si j'y étais avec les yeux ouverts
et le toucher sauf »

❁❁❁

« il y a les odeurs du froid
qui fourmillent où nous marchons
sur place nous arrivons à voir
quelques chansons interdites
coexistent dans nos rêves
elles ne l'ont pas toujours été

nous sommes toujours cette île d'anges
qui cherche la chaleur nocturne du possible »

J25

[19h17] J'ai griffonné un poème, toute la journée. C'est plus un exutoire qu'un poème. Plus une libération qu'un constat. Plus un alignement de mots qui m'ont aidé à voir plus clair. Comprendre là où ça n'a pas fonctionné, nous deux.

« j'ai compris que je te pourrissais la vie
à force de me perdre
me sentir nulle part
avec les fantômes collés dans le dos
je sais maintenant

et je sais qu'il est trop tard

je le sais parce que
je t'aime comme une vague qui n'a ni plage
ni roc ni falaise pour mourir »

Mais je ne lui ferai pas lire.

21h21 Je comprends aussi qu'elle se perdait tout autant que moi, que ça me pourrissait également la vie. Qu'il n'y a pas qu'elle ou moi dans cette histoire qui ne marche pas, mais elle et moi, inséparablement.

J'ai compris qu'elle n'était pas l'amoureuse

modèle. Qu'il n'y a pas de modèle pour ça, seulement ce que nous construisons ensemble.

J26

[21h51] Septembre s'achève avec la vie par terre et moi je vais dormir.

« mon amour, tu sais
cette attirance pour le chaos
je veux l'imploser
je n'ai pas le goût que mes amis sachent
je veux tout garder
dans les entrailles du silence »

Je sais, j'ai encore dit « mon amour ».

J27

[10h00] Fin de semaine en famille. Je reprends sur moi, aujourd'hui, cette peine d'amour me fait mal, mais je veux avancer. J'ai toujours voulu avancer, je pense, du plus loin que je me souvienne, du moins.

Et je ne baisserai pas les bras. Je ne veux, ici, que marquer avec mes mains et mes yeux le triomphe de l'esprit romantique. Cet esprit qui fend la noirceur et regarde la lumière, intacte, devant, quitte à chercher la *switch* pour l'allumer s'il le faut.

J28

[20h00] Passer outre notre deuil, comme le dit mon père, à la rencontre de ce mystère de la vie, ce devenir ailleurs sans que je puisse te dire « je t'aime ». Je deviens un autre gars. L'espace ici, mon nouvel espace, le mien, je vais le faire à la fronde.

La fêlure de notre image, celle que nous étions, avant, quand le continent vivait le cœur creux et solide, le tonnerre absent. Cette image restera une cicatrice. Mais une cicatrice, ça se referme, ça reste parfois visible et parfois ça disparaît avec le temps.

J29

[21h00]

« j'ai ce mal au corps que je ne comprends pas
j'ai ce mal physique comme une blessure
les muscles endoloris d'un marathon
pourtant je n'ai pas couru
je suis resté ici à penser à elle
à penser au manque
sa présence absente
la proximité qui n'est plus »

Je me demande si c'est d'elle que je m'ennuie le plus ou de ce que nous étions, de la sécurité, de savoir que nous sommes, du confort.

J'ai pensé lui écrire « Reviens. » sur une feuille et la lui donner en vitesse si jamais je la croisais dans la rue ou à l'école. Mais je ne le ferai pas. Nous sommes en vie, chacun de notre bord, et c'est ça qui compte.

Juste de l'écrire me libère. Je veux dire l'écrire, ici, en dehors d'un livre. Je ne veux pas répéter mes « bêtes atroces sur la ligne d'horizon » et la supplier de poursuivre. Je me lèverai, demain, autrement. Je tenterai l'écriture comme une libération et non comme un renfermement. Tout me paraîtra sûrement différent et trop nouveau, mais je marcherai longtemps encore, je le sais.

J30

[22h00] L'an dernier, j'avais écrit ce poème dans un atelier. C'était bien avant que je saisisse que nous étions ce continent.

« au coin des continents anciens bien avant
que les eaux les séparent
que le continent que nous sommes
dérive avec elles
que le ciel nous tombe sur la tête
et nous voile de sa brume épaisse
poussant par le vent le cri des cheminées
que l'on nous tache de pétrole et de pluie
que l'on boive l'acidité que nous créons
que l'arbre perde son écorce malade
devant l'homme
que le soleil brûle devant la femme
que le château de sable meure devant l'enfant
que ses pelles et seaux se fracassent au froid
que l'arche ne sauve que son bois cette fois-ci
que la dernière pie se taise à jamais
que la gazelle suive la tortue de peine
et de misère
que la plume efface l'encre
que les mots perdent leurs lettres
que les lettres envoyées au loin
échappent leurs timbres
que la voix égare sens et justesse
juste au cas où l'on ne se croiserait pas

aujourd'hui
ma vie supplie-moi
de vivre assez longtemps
pour devenir un meilleur continent »

Dans l'ordre comme dans le désordre, ce poème m'appartient. Mais aujourd'hui, je lui donnerais de nouveaux mots. Sans oublier, par contre.

Je t'ai relu depuis le début, journal. Même si la douleur de la marque persiste, je sais maintenant. Je me connais un peu plus.

je sais que je suis ce continent sur lequel bâtir
je sais qu'il y a d'autres continents
je sais que les eaux de ma vie
me feront dériver vers un autre continent
contre lequel je pourrai me coller
lorsque les temps plus calmes le permettront

demain
je serai rendu à marcher
de plein pas sur octobre
demain mercredi j'inscrirai la date
je n'inscrirai pas J1
j'attendrai
que ça ne veuille pas dire
seulement nouveau mois
j'attendrai
que ça veuille dire « nouveau continent »

Dans la collection Graffiti

1. *Du sang sur le silence*, roman de Louise Lepire
2. *Un cadavre de classe*, roman de Robert Soulières, Prix M. Christie 1998
3. *L'ogre de Barbarie*, contes loufoques et irrévérencieux de Daniel Mativat
4. *Ma vie zigzague*, roman de Pierre Desrochers, finaliste au Prix M. Christie 2000
5. *C'était un 8 août*, roman de Alain M. Bergeron, finaliste au prix Hackmatak 2002
6. *Un cadavre de luxe*, roman de Robert Soulières
7. *Anne et Godefroy*, roman de Jean-Michel Lienhardt, finaliste au Prix M. Christie 2001
8. *On zoo avec le feu*, roman de Michel Lavoie
9. *LLDDZ*, roman de Jacques Lazure, Prix M. Christie 2002
10. *Coeur de glace*, roman de Pierre Boileau, Prix Littéraire Le Droit 2002
11. *Un cadavre stupéfiant*, roman de Robert Soulières, Grand Prix du livre de la Montérégie 2003
12. *Gigi*, récits de Mélissa Anctil, finaliste au Prix du Gouverneur général du Canada 2003
13. *Le duc de Normandie*, épopée bouffonne de Daniel Mativat, Finaliste au Prix M. Christie 2003
14. *Le don de la septième*, roman de Henriette Major
15. *Du dino pour dîner*, roman de Nando Michaud
16. *Retrouver Jade*, roman de Jean-François Somain
17. *Les chasseurs d'éternité*, roman de Jacques Lazure, finaliste au Grand Prix du Fantastique et de la Science-fiction 2004, finaliste au Prix M. Christie 2004
18. *Le secret de l'hippocampe*, roman de Gaétan Chagnon, Prix Isidore 2006
19. *L'affaire Borduas*, roman de Carole Tremblay
20. *La guerre des lumières*, roman de Louis Émond
21. *Que faire si des extraterrestres atterrissent sur votre tête*, guide pratique romancé de Mario Brassard

22. *Y a-t-il un héros dans la salle ?*, roman de Pierre-Luc Lafrance
23. *Un livre sans histoire,* roman de Jocelyn Boisvert, sélection The White Ravens 2005
24. *L'épingle de la reine,* roman de Robert Soulières
25. *Les Tempêtes,* roman de Alain M. Bergeron, finaliste au Prix du Gouverneur général du Canada 2005
26. *Peau d'Anne,* roman de Josée Pelletier
27. *Orages en fin de journée,* roman de Jean-François Somain
28. *Rhapsodie bohémienne,* roman de Mylène Gilbert-Dumas
29 *Ding, dong !*, 77 clins d'oeil à Raymond Queneau, Robert Soulières, Sélection The White Ravens 2006
30. *L'initiation,* roman d'Alain M. Bergeron
31. *Les neuf Dragons,* roman de Pierre Desrochers, finaliste au Prix des bibliothèques de la Ville de Montréal 2006
32. *L'esprit du vent,* roman de Danielle Simard, Grand Prix du livre de la Montérégie – Prix du jury 2006
33. *Taxi en cavale,* roman de Louis Émond
34. *Un roman-savon,* roman de Geneviève Lemieux
35. *Les loups de Masham,* roman de Jean-François Somain
36. *Ne lisez pas ce livre,* roman de Jocelyn Boisvert
37. *En territoire adverse,* roman de Gaël Corboz
38. *Quand la vie ne suffit pas,* recueil de nouvelles de Louis Émond, Grand Prix du livre de la Montérégie – Prix du public et Prix du jury 2007
39. *Y a-t-il un héros dans la salle n° 2 ?* roman de Pierre-Luc Lafrance
40. *Des diamants dans la neige,* roman de Gérald Gagnon
41. *La Mandragore,* roman de Jacques Lazure, Grand Prix du livre de la Montérégie 2008 – Prix du jury
42. *La fontaine de vérité,* roman d'Henriette Major
43. *Une nuit pour tout changer,* roman de Josée Pelletier
44. *Le tueur des pompes funèbres.* roman de Jean-François Somain

45. *Au cœur de l'ennemi,* roman de Danielle Simard
46. *La vie en rouge,* roman de Vincent Ouattara
47. *Mort et déterré,* roman de Jocelyn Boisvert. Finaliste au Prix du Gouverneur Général du Canafa 2009
48. *Un été sur le Richelieu,* roman de Robert Soulières (réédition)
49. *Casse-tête chinois,* roman de Robert Soulières (réédition), Prix du Conseil des Arts du Canada 1985
50. *J'étais Isabeau,* roman d'Yvan DeMuy
51. *Des nouvelles tombées du ciel,* recueil de nouvelles de Jocelyn Boisvert
52. *La lettre F,* roman de Jean-François Somain
53. *Le cirque Copernicus,* roman de Geneviève Lemieux, Sélection White Ravens 2010
54. *Le dernier été,* roman d'Alain Ulysse Tremblay
55. *Milan et le chien boiteux,* roman de Pierre Desrochers
56. *Un cadavre au dessert,* novella de Robert Soulières
57. *R.I.P.,* novella de Jacques Lazure

Ce livre a été imprimé sur du papier Sylva enviro 100 % recyclé, traité sans chlore, accrédité Éco-Logo et fait à partir d'énergie biogaz.

Achevé d'imprimer
sur les presses de Marquis Imprimeur
à Cap-Saint-Ignace (Québec)
en janvier 2012